CODES SECRETS

Autocollants amusants

Apprendre · Coller · Colorier

Illustrations de Terry Burton

© 1997 Autumn Publishing Ltd
Chichester, England
ISBN : 90 5593 463 X
D/1997/6995/39
Pour le Canada
© Les éditions Héritage inc. 1998
ISBN : 2-7625-1257-3
Imprimé en Italie

Code 1: la roue codée

Cette roue codée t'aidera à déchiffrer le message de la page suivante.
Retrouve les autocollants manquants et colorie ce dessin.

Message codé

Retrouve les autocollants manquants et colle-les. Au moyen de la roue codée, déchiffre ce message pour savoir où les enfants se sont donné rendez-vous. Colorie ensuite le dessin.

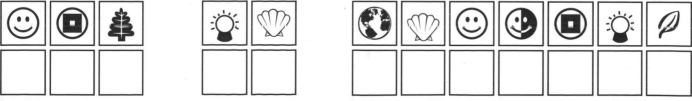

Code 2: les sorcières

Les sorcières ont inventé ce code afin que personne ne puisse connaître les recettes de leurs maléfices. Retrouve les autocollants manquants et colorie ce dessin.

Les sorcières font leurs emplettes

Retrouve les autocollants manquants et colorie ce dessin. Les sorcières se rendent au magasin pour y acheter les ingrédients de leur breuvage. Utilise le code secret pour savoir ce qu'elles achètent.

Code 3

Observe attentivement ce code secret. Il te sera bien utile pour déchiffrer les messages des pages suivantes. Retrouve ensuite les autocollants manquants et colorie ce dessin.

L'invitation codée

Retrouve les autocollants manquants et colle-les. Peux-tu déchiffrer ce message? Le dessin te mettra sur la bonne voie. Colorie ensuite les illustrations.

Les pays codés

Retrouve les autocollants manquants et colorie ces dessins.
Ceux-ci t'aideront à découvrir les noms de pays qui se
cachent dans ces grilles codées.

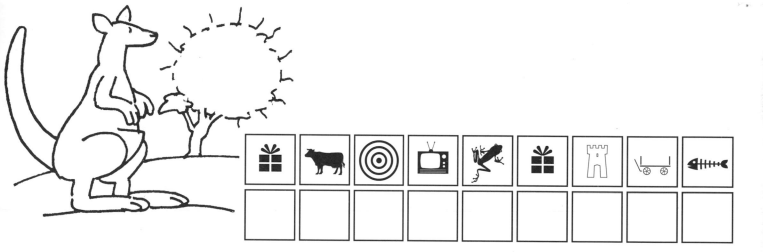

Les panneaux indicateurs

Retrouve les autocollants manquants. Les noms de villes indiqués sur ces panneaux sont codés. Aide ces personnages à trouver leur chemin en déchiffrant ces noms de villes. Inscris les solutions dans les cadres en bas de page. Colorie ensuite le dessin.

Le labyrinthe

En trouvant la sortie de ce labyrinthe, tu pourras lire au passage les prénoms de ces deux enfants. Retrouve ensuite les autocollants manquants et colorie ce dessin.

Code 4

Utilise ce code secret pour déchiffrer les messages des pages suivantes.
Retrouve ensuite les autocollants manquants et colorie ce dessin.

Les animaux codés

Retrouve les autocollants manquants. Observe attentivement cette scène forestière. Utilise le code pour déchiffrer les noms d'animaux et inscris-les dans les cases. Colorie ensuite ce dessin.

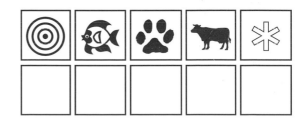

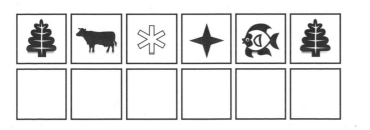

Les quatre saisons

Observe les dessins suivants. En déchiffrant ces messages, tu sauras ce qui se passe au printemps, en été, en automne et en hiver.

Colle les autocollants à la bonne place et colorie ensuite ces dessins.

automne

hiver

Le personnage mystérieux

Un personnage de conte célèbre se cache dans ce dessin. Pour le découvrir, il suffit de colorier les espaces marqués d'un point. Tu peux ensuite colorier le reste du dessin au moyen d'une autre couleur.

Les sports codés

Retrouve les autocollants manquants. Les noms de certaines activités sportives sont inscrits en code au bas de cette page. Déchiffre-les et relie ensuite par un trait chaque nom au dessin correspondant.
Tu peux ensuite colorier ce dessin.

Mots cachés de vêtements féminins

Certains noms de vêtements féminins se cachent dans la grille, horizontalement et verticalement. Déchiffre-les et inscris-les sous les dessins correspondants. Retrouve ensuite les autocollants manquants et colorie ce dessin.

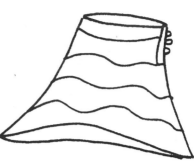

Mots croisés de vêtements masculins

Déchiffre les noms de vêtements présents dans cette grille et inscris-les sous les dessins correspondants. Retrouve ensuite les autocollants et colorie ce dessin.

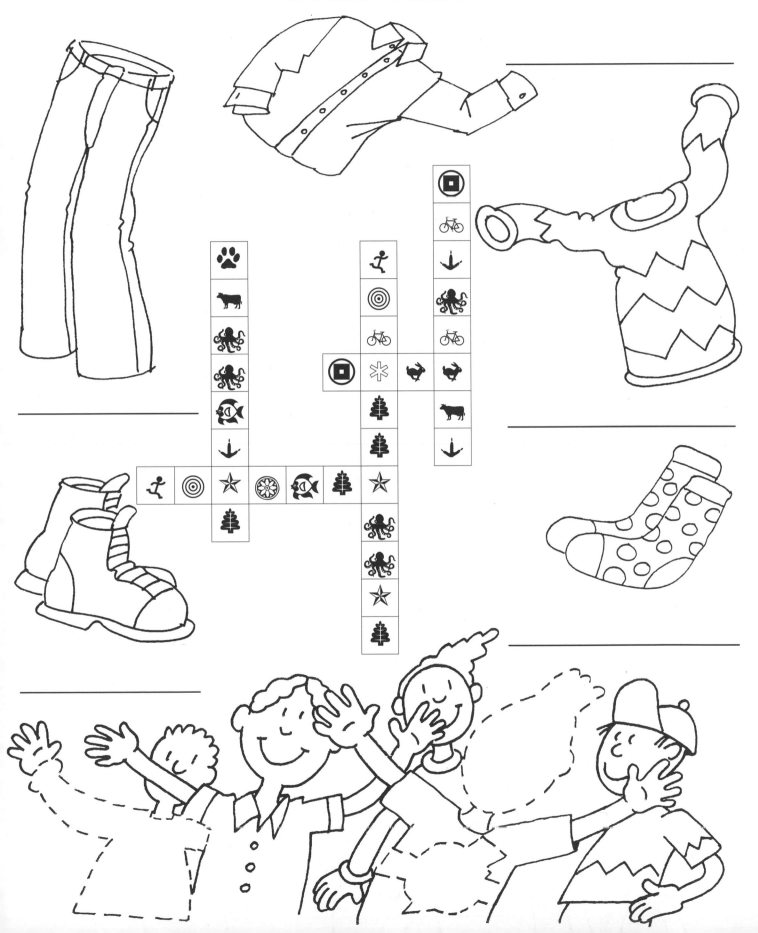

Les phrases codées

Peux-tu déchiffrer ces phrases codées? Inscris les solutions sur cha___ ___e.
Retrouve ensuite les autocollants manquants et colorie ces ___

CESO   IRNO   USAL   LONS   AUCI   RQUE.

_____

MAFA   MILL   EPAR   TENV   ACAN   CESD   EMA   IN.

_____

CE   MA   TI   NI   LF   AI   TT   RE   SF   RO   ID.

_____

Nouvelles phrases codées

Retrouve les autocollants manquants. Inscris les phrases déchiffrées sur les lignes correspondantes. Colorie ensuite ces dessin.

VEU XTU GOU TER UNM ORC EAU DEG ATE AU?

_____

ONS ERE TRO UVE ALA PAT INO IRE CES OIR.

_____

... GA GN ER AL AC OU PE CE TT ES AI SO N!

_____

Les drapeaux codés

Retrouve les autocollants manquants et colorie ce dessin. Utilise ce code secret pour déchiffrer le message de la page suivante.

Les messagers

Au moyen des drapeaux codés, déchiffre ce message secret. Inscris-le sur la ligne au bas de la page. Retrouve ensuite les autocollants manquants et colorie ce dessin.

Solutions

Message codé
sur la bascule

Les sorcières font leurs emplettes
bave verte
crapauds
araignées
ver de terre
serpents
souris

L'invitation codée
je t'invite à ma fête d'anniversaire

Les pays codés
Hollande
France
Italie
Espagne
Australie
Amérique

Les panneaux indicateurs
Paris
Nantes
Lyon
Lille
Nice
Rennes

Le labyrinthe
Thomas et Marie

Les animaux codés
lapin
hibou
souris
cerf

Les quatre saisons
Printemps: saison des jonquilles
Été: vive les vacances
Automne: la chute des feuilles
Hiver: il tombe de la neige

Le personnage mystérieux
Pinocchio

Les sports codés
tennis
football
hockey
ski
patinage

Mots cachés de vêtements féminins

Mots croisés de vêtements masculins

Les phrases codées
Ce soir nous allons au cirque.
Ma famille part en vacances demain.
Ce matin il fait très froid.

Nouvelles phrases codées
Veux-tu gouter un morceau de gateau?
On se retrouve à la patinoire ce soir.
. . . . (inscris le nom de ton équipe favorite) gagnera la coupe cette saison!

Les messagers
rendez-vous ce soir près du lac